tour de charme

Récit recueilli par Gilles MEDIONI
Photographies de Claude GASSIAN

Régie Productions

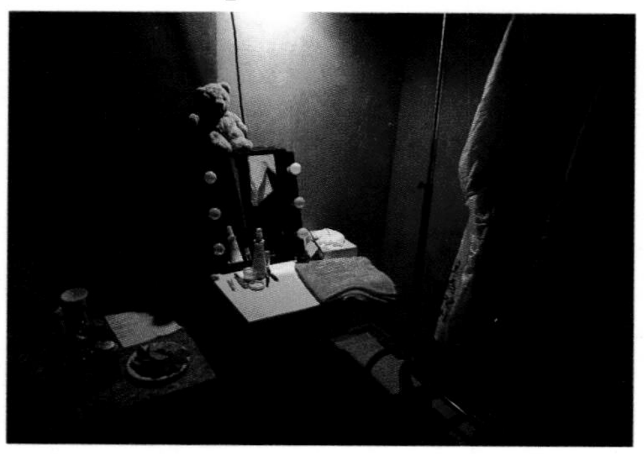

ISBN : 2-84098-049-5

USA_FRANCE
AUSTRIA_GERMANY
SWITZERLAND_HOLLAND
BELGIUM
LUXEMBURG_KOREA
JAPAN_VIETNAM
CAMBODIA_THAILAND
ENGLAND_CANADA_TURKEY
LEBANON_FINLAND
RUSSIA_USA_FRANCE

PATRICIA KAAS

tour de charme

AUSTRIA_GERMANY
SWITZERLAND
HOLLAND_BELGIUM
LUXEMBURG_KOREA
JAPAN_VIETNAM
CAMBODIA
THAILAND
ENGLAND_CANADA
TURKEY_LEBANON
FINLAND_RUSSIA_USA
FRANCE_AUSTRIA
GERMANY_SWITZERLAND
HOLLAND_BELGIUM
LUXEMBURG_KOREA
JAPAN_VIETNAM

tour de charme

LUXEMBURG-KOREA-JAPAN-VIETN

FRANCE-AUSTRIA-GERMANY-SWITZERLAND-HO

LAND-BELGIUM-LEBANON-FINLAND-RUSSIA

À fleur de femmes dans un monde d'hommes

Après ma première tournée, j'ai mis la musique de côté, je me suis reposée, chez moi, dans ma famille.
Je ne ressentais pas le besoin de partir loin, puisque je sortais d'un très long voyage.
Dans ces moments de pause, on se persuade de s'arrêter au moins un an, pour faire le vide, pour faire le point. Mais très vite l'amour de la musique revient. J'ai craqué.
Et commencé à réfléchir à mon prochain album. J'ai d'abord passé et repassé les vidéos de mes anciennes télés, de mes clips, relu mes interviews et les articles de journaux qu'on m'avait consacrés. Et je me suis rendue compte que le fait d'être très entourée, surtout pendant la tournée, avait construit un petit mur autour de moi.

On me trouvait timide, parfois même un peu froide. J'avais besoin d'être seule tout le temps.
Je me posais beaucoup de questions.
Je n'avais pas vraiment d'amis, non plus.
Ça ne me manquait pas. Enfin, je n'étais plus vraiment moi.

A-FINLAND-FRANCE-RUSSIA-AUSTRIA

C'est normal, j'avais quitté une petite ville
et une famille modeste – où l'amour est ce qu'il
y a de plus important – pour me retrouver sans
transition dans ce métier où je ne connaissais
personne, à répondre aux journalistes parisiens
avec un accent allemand. J'ai toujours été
proche de mes parents, surtout de ma maman,
et soudain j'étais seule, je devais prendre
des décisions. J'avais besoin de me protéger.
Je m'étais sentie un peu perdue, je devais
casser ce mur, pas pour me métamorphoser,
simplement pour redevenir comme avant.
Sauf que j'avais changé. J'avais grandi. J'avais
davantage d'expérience de la vie. Et également
besoin de séduire. Pas seulement mon public.
Je voulais qu'on me trouve belle.
Car désormais, j'avais décidé d'être moi.

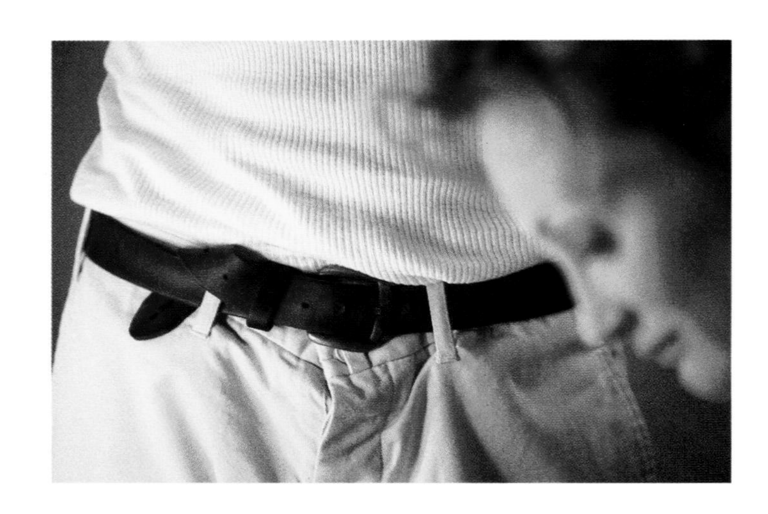

CAMBODIA-CANADA-HOLLAND-FRANCE-

SIA-TURKEY-ENGLAND-SWITZERLAND

"De vous à moi" avant "Je te dis vous"

Jamais je ne m'étais autant investie dans un album. J'y passais plus de temps que si je l'avais écrit. Je savais qu'il allait me ressembler. J'allais choisir des chansons d'amour, de femmes.
Bien sûr, nous faisions un travail d'équipe avec Cyril et Richard. Ce sont des amis avant tout. On écoutait ensemble, on parlait, on jugeait. Mais je prenais la décision finale.
Je voulais rencontrer les auteurs, pour parler de la vie, de tout, de rien.
J'avais envie d'aborder certains thèmes précis : les rapports entre l'amour et l'amitié, l'amour impossible, la rencontre du public.
Mais c'était primordial qu'on utilise mes mots, pour que les chansons soient le plus proche possible de moi. J'étais bien.
Heureuse. Et j'allais faire un album. C'est très excitant de travailler sur de nouvelles chansons. J'avais écouté beaucoup de CD, pour chercher l'ambiance.

"De Vous à Moi" avant "Je te dis vous"

USA-FRANCE-AUSTRIA-GERMANY-S

TZERLAND-**HOLLAND**-BELGIUM-LUXEMBURG

tour de charme

J'avais envie de rencontrer Robin Millar, le producteur des premiers disques de Sade et de Fine Young Cannibals. Il avait vécu et travaillé en France. Il parlait français, ce qui était très important pour l'arrangement de mes chansons. Il savait qui j'étais. Il m'a demandé ce que j'aimais en moi, et ce que je ne voulais plus. J'avais conscience de m'acheminer vers cet album charme, sensibilité sensualité. Parce que j'avais glissé de l'adolescence à l'état de femme, sans y réfléchir, emportée par un tourbillon. J'étais passée à côté de cet état d'âme, de ce sentiment d'être femme.

Je désirais chanter différemment. Je désirais un esprit plus « live », et des musiciens qui vibreraient en studio ; et si la section de cuivres s'arrêtait un peu en retard, tant pis, on la laisserait ainsi. Je ne voulais plus de choses carrées, de choses calées, comme par des machines. Nous nous sommes revus plusieurs fois, il a réécouté mes maquettes, les disques que j'apportais, des sons. On avait les mêmes idées. Tous les deux, on s'impliquait peu à peu.

Je lui expliquais mon exigence envers ma voix. Que j'avais beaucoup analysé mes deux premiers albums, que j'avais aussi envie de douceur. Cet album, je lui ai consacré presque deux ans de ma vie. Avant, je ne fonctionnais pas ainsi.

THAILAND-ENGLAND-CANADA-TU

Je n'écoutais pas tout ce qu'on me proposait. Là, c'était un ouragan qui déferlait : 2000 cassettes envoyées, du fan au professionnel. Je ne les ai peut-être pas toutes fait tourner en entier. Quand le texte ne me branchait pas, ou n'avait pas un rapport avec le thème de l'album, j'arrêtais.

J'ai eu des discussions avec Didier Barbelivien et François Bernheim, les complices de mes deux premiers disques. Et avec tous les autres nouveaux auteurs. Je leur disais que je ne m'astreignais pas à changer d'image, mais à aller dans une autre direction plus proche de moi. Les textes sont donc nés de dialogues intenses. Surtout « Fatiguée d'attendre », « Je te dis vous », « Je retiens mon souffle ». Je ne choisissais que des textes aux mots simples, des mots de mon vocabulaire. J'évoquais des sentiments vécus, parfois douloureusement.

On allait enregistrer en Angleterre, non pas que les studios français ne soient pas satisfaisants, mais tout simplement parce que Robin avait son équipe là-bas. C'était plus facile, c'était encore une nouvelle expérience.

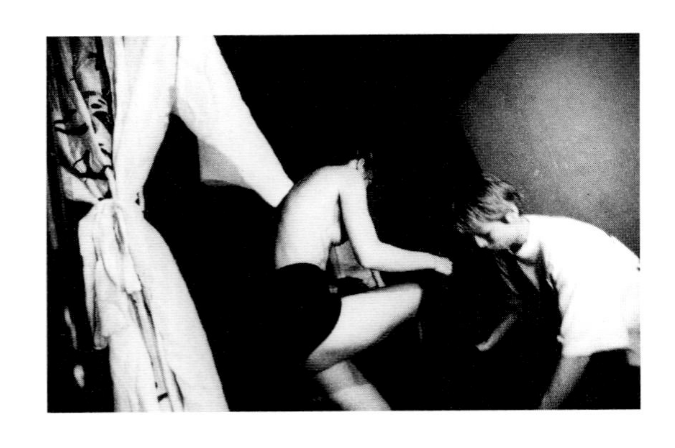

Mes trois mois en studio à Plum Cottage

En octobre 1992 en Angleterre, près de Londres – à Twickenham exactement – j'ai loué une maison de poupée : Plum Cottage. J'étais seule, inconnue, je marchais dans les rues tête baissée, par habitude, et quand on se retournait sur moi, c'était une impression étrange : j'ai toujours douté de moi physiquement ! Quand on est bien à l'intérieur, on a sans doute plus de charme. J'étais rassurée, je n'avais pas peur d'aller vers ce que j'avais décidé.

L'enregistrement a duré trois mois. Normalement, « les voix » prennent dix jours. J'étais en studio de 11 heures du matin à 2 heures du matin. Les week-ends, des amis me rendaient visite. Le 5 décembre, on a fêté mon anniversaire au Jazz Café. Un petit orchestre jouait.
J'étais contente. Je créais quelque chose. L'ambiance était géniale, on formait une équipe, il y avait une vingtaine de musiciens. Robin me questionnait souvent : « Qu'est-ce que tu penses de ça ? » Alors je restais concentrée pour ne pas répondre à côté.

R

tour de charme

C'était le premier album où j'allais chanter ce que je ressentais.
J'apprenais et je rencontrais beaucoup de gens très sympathiques, des musiciens qui avaient du talent. Parfois, je proposais des arrangements. Robin acceptait ou refusait, mais il m'expliquait toujours pourquoi.
Cette collaboration m'a beaucoup apporté.
On a enregistré plus de quinze chansons dont plusieurs reprises en anglais. C'était une nouvelle aventure. Mais la langue française est tellement romantique !

RIA-GERMANY-SWTZERLAND-HOLLAND

STOP
MAKE SURE
THIS DOOR
IS SHUT
COMPLETELY

LUXEMBURG-KOREA-JAPAN-VIET

ROYAL CROWN COLA
OPEN NIGHTLY
6 PM Til 1 AM
FRI. & SAT. Til 2AM
Closed Tuesday Night
OPEN EVERY DAY
6AM Til 4PM
FISHING TACKLE
STOP
DRINK Coca-Cola
ICE COLD

"Je te dis vous"

« Ceux qui n'ont rien » a été inspirée à Didier après la soirée télé des Restos du cœur à laquelle j'avais participé.

« Y'avait tant d'étoiles », ou un superbe extrait d'une maquette piano/voix. Une chanson d'amour voulue comme une berceuse.

« Il me dit que je suis belle », que je surnomme « Belle », est également née aux Restos du cœur. J'y chantais, avec d'autres artistes. Jean-Jacques Goldman et moi, on a des points communs, je crois.
On déjeunait ensemble, et je lui parlais beaucoup de l'album. Je ne parlais probablement que de l'album, que du choix
des chansons, que du son, que du ton. J'étais complètement surexcitée. J'écoutais des maquettes tous les jours. Je lui affirmais que j'étais prête à refuser un titre qui s'annonçait a priori comme un tube si le thème abordé ne me touchait pas. Je pense que je m'impliquais tellement que ça l'a impressionné. Sans que je le lui demande, il m'a écrit « Belle », qu'il a signée Sam Brewski, parce qu'il voulait que la chanson existe par elle-même.

SWITZERLAND-KOREA-JAPAN-VIE

NAM-CAMBODIA-THAILAND-ENGLAND-USA

tour de charme

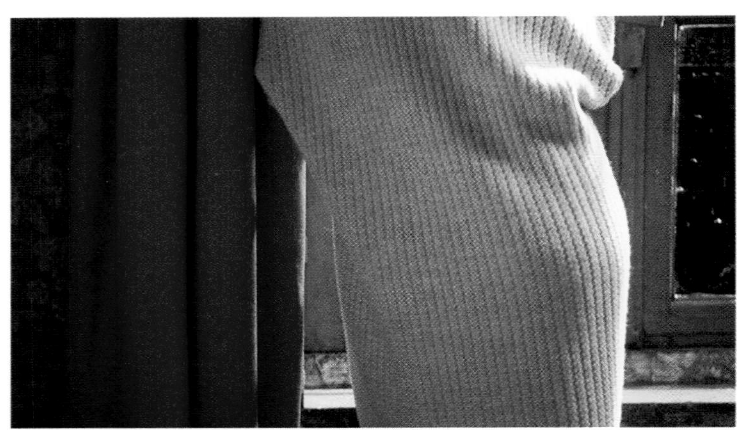

FRANCE-AUSTRIA-GERMANY-SWITZE

Il est venu en Angleterre pendant l'enregistrement. C'était la première fois qu'il acceptait de ne pas réaliser [techniquement] un titre lui-même. La version de Robin est sur l'album, celle de Goldman sur le single.

« Entrer dans la lumière », conçue tel un dernier blues, guitare/voix. J'aspirais à un texte qui évoque la scène, la vie en tournée, mais sans cliché du genre « de Paris à Moscou, et à New York, etc. ».
« Entrer dans la lumière », pour moi, c'est entrer en scène. Pour d'autres, les paroles évoquent une maman qui parle de son enfant qui vient au monde. Ou, à l'inverse, quelqu'un qui disparaît et entre dans la lumière. Robin et moi, on adorait ce titre.
Pendant les arrangements, on ne pensait pas une seconde en tirer un single, le premier.

« Space in my heart », je l'ai trouvée d'emblée géniale. Il y avait une « rythmique dance » sur la maquette. Robin en a fait un slow.
C'est une chanson d'amour douce et simple, en anglais.

« Hôtel Normandy », pour son romantisme et sa nostalgie.

« Je te dis vous » raconte une double histoire. La rencontre d'un homme qui m'a fait prendre conscience que j'étais devenue une femme.
Et, en parallèle, il y a une autre histoire d'amour, celle d'une artiste et de son public.

« Fatiguée d'attendre » : ma chanson préférée ! Parce qu'il arrive d'éprouver un sentiment pour quelqu'un en sachant que la relation sera impossible. Avec Joëlle, on a beaucoup disserté sur la vie, sur l'amour, cet amour impossible que tout le monde a vécu ou vivra. J'avais, dans mon entourage, beaucoup de gens qui parlaient de tous ces problèmes sentimentaux.

« Reste sur moi », c'est une femme qui demande à son amant de rester sur elle, après l'amour. On peut juger le texte osé. Pas moi. Les paroles sont poétiques, sensuelles, érotiques.
Le style était plus « dance », mais on l'a unifié avec les autres. Pour le remix, réalisé par Danny Tenaglia, à qui l'on doit le remix du « Thriller » de Michael Jackson, on n'a pas hésité. Le titre a été classé dans les vingt premiers du Billboard Dance aux Etats-Unis, en mai 94.

USA-FRANCE-AUSTRIA-GERMA

« Je retiens mon souffle », ou la frontière
étroite entre l'amour et l'amitié. Ce que l'on vit
avec un ami peut être davantage que
de l'amitié, et pourtant ce n'est pas de l'amour.
« It's a man's world » a jailli à la fin
des enregistrements.
Robin Millar m'a dit : « Si tu devais faire une
reprise, laquelle ? »
moi : « It's a man's world. »
Il a sursauté et crié : « Ah ! c'est génial. »
Robin adore m'entendre parler anglais.
Il m'a dit : « Va au micro, prends le texte,
récite-le pour en faire une version personnelle. »
J'ai aussi fait les chœurs sur cette chanson,
et ça, c'était une première. Cette reprise a sans
doute le plus surpris. James Brown l'a créée
en 1966, l'année de ma naissance.

« La Liberté » : Avec « Ceux qui n'ont rien », ce
sont les deux chansons qui sortent du concept
de l'album. Mais je les aime aussi.

« Out of the rain », de Tony Joe White :
une reprise de Joe Cocker, et un autre coup
de cœur. Je l'ai enregistrée au dernier moment,
sans être sûre de la garder.

« Ganz and Gar » se traduit par « Tout ou rien ».
C'est un blues créé par un chanteur allemand
et destiné à l'album allemand. Le titre est
finalement resté sur l'album français.
Une chanson d'amour aux mots assez durs dans
la bouche d'une femme. « Pour toi, je sauterais
du haut d'un building, pour toi, je me pendrais... »

J'ai également enregistré une chanson magnifique
écrite par Charles Aznavour : « De la scène
à la Seine ». Mais tous les deux on n'était pas
sûrs du résultat dans l'ambiance de l'album.
Charles est quelqu'un de très ouvert, et on a
décidé de retravailler ensemble plus tard.

« Saint Lunaire », cette chanson, a été
spécialement enregistrée pour un inédit FNAC.

Une confidence : difficile d'avouer quelles sont
mes chansons préférées, mais, disons tout de
même : « Fatiguée d'attendre » et « Entrer dans
la lumière », « Belle », « Etoiles ».

Les premiers cris d'un album

Aujourd'hui, quand je réécoute « Je te dis vous », ma façon de chanter me touche davantage qu'avant : ma voix est plus sensuelle. Mais j'espère toujours trouver des défauts à cet album, pour évoluer encore la prochaine fois !
A la fin de l'enregistrement du disque, on me prévenait : « Attention, un troisième album ne doit pas décevoir le public. » Je ne comprenais pas : j'avais juste emmené ma musique avec moi !
On m'alertait sur ma manière de chanter : « C'est bien, mais est-ce que les gens vont comprendre? »
Mais si le public me trouve plus souriante, plus belle, c'est d'abord parce que je me sens mieux dans ma peau. Avant, je ne savais pas trop.
Je me laissais guider, volontairement. J'avais besoin de plus d'expérience de la vie. Les chansons d'amour, on les chante différemment à 20 ans et à 27 ans. Et puis, au début, je présentais juste une voix.
Je ne me donnais pas plus.
Ça peut sembler paradoxal, mais une artiste connaît peut-être plus encore qu'une autre femme des histoires d'amour tristes.

USSIA-FRANCE-ENGLAND-TURKEY

LES PREMIERS CRIS D'UN ALBUM

Parfois, on rencontre des personnes qui vous marquent toute une vie, mais on sait qu'on ne peut pas leur rendre leur amour avec la même intensité. Alors on se refuse, pour les protéger.
J'ai vécu des histoires d'amour intenses. J'en parle au passé, parce que la vie est ainsi faite. Mais rien n'est plus important que les sentiments, que ce soit envers un amant, un ami ou une maman.
Ça compte tellement plus que tout le reste !
Dans cet album, j'avais mis toutes mes forces et tout mon cœur, en allant vers quelque chose qui me plaisait.
J'avais choisi « Entrer dans la lumière », comme premier single pour donner la couleur de « Je te dis vous ».
J'assumais mes responsabilités.
J'étais ravie : j'allais pouvoir me défouler. Cet album parlait de moi. C'était un peu mon double. Avant, je n'aurais jamais pu expliquer tout ça. Mais au fond je me disais : « Pat, y'a que toi qui sais ce que tu veux chanter. Alors fais-toi plaisir, chante-le. »
Et puis, sur scène, il fallait que je défende les chansons que j'aimais. Si je m'étais tellement investie, c'était pour aller jusqu'au bout.

L'album m'avait changée. Surtout, il m'avait donné davantage confiance en moi. Pas totalement, bien sûr, sinon ça servirait à quoi ? Le doute fait avancer ! Je me connaissais certainement mieux. J'avais donné beaucoup plus de moi-même. J'avais dit ce que je ressentais sans dévoiler ma vie privée, même si elle était la base de mes chansons. Ce qui m'avait toujours gênée, c'était ce côté « petite jeune à la voix sympa ». Et que l'on pense que j'étais manipulée. Quelque chose avait changé. Ce qui étonnait les gens, c'était que ça se produise à un moment où j'existais en tant qu'artiste reconnue. Pour moi, cette évolution était naturelle. J'aurais pu grandir et rester fidèle à mon image. J'avais préféré tirer l'album à moi.
J'avais travaillé avec des auteurs, des compositeurs, un producteur, des musiciens, en suggérant, en intervenant tout le temps. Un premier album, on ne sait pas comment ça marche. Le second, on refuse les synthés, on exige de vrais musiciens. C'est pareil pour les chansons. Avant, pour moi, l'important c'était les mélodies. Maintenant, je soigne aussi les textes. Sur scène, c'est moi qui chante. Le plus beau compliment qu'on pouvait me faire, c'est que les gens s'identifient à « Je te dis vous » et l'écoutent chez eux.

J'espèrais que les femmes allaient beaucoup aimer le CD. Elles allaient comprendre ce que je ressentais parce que je l'exprimais très fort. Elles comprendraient que « pour être femme, on peut bien briser son âme plusieurs fois ».

J'ai choisi ce titre, « Je te dis vous », parce qu'il allait vers les autres, qu'il était intime et en même temps respectueux, comme mon public.

-CAMBODIA-THAILAND-ENGLAND-CANADA

tour de charme

Je voulais une photo de couverture mélancolique, mais pas triste. Une photo simple, belle.
Est arrivé le jour de la présentation de l'album aux médias. Ce qu'on appelle un « show case ».
Public très difficile. La critique sévère, sans complaisance, je trouve ça plutôt bien, dans l'absolu. Ça permet de se remettre en question et d'évoluer. Mais à ce moment-là, j'avoue que j'ai eu très peur parce que c'était le moment de vérité. Je n'ai chanté que quelques chansons.
A la fin, les journalistes étaient debout.
Je crois qu'ils étaient contents. En tout cas, j'étais heureuse. Restait à faire connaître « Je te dis vous » à mon public.
Je me disais que c'était un changement naturel.
Je ne trichais pas. J'étais seulement moi.
Et je présentais des chansons dans lesquelles j'espérais qu'il allait se retrouver.

Un album, c'est aussi un bébé. Ce n'est pas pareil, bien sûr, mais j'en suis fière.
Evidemment, je veux des enfants, je rêve d'en avoir deux ou trois. Ce disque avait pris du temps, il était beau, les auteurs avaient raconté de belles histoires, on ne pouvait pas lui rêver de parrains plus formidables.
On dit que les accouchements les plus durs font les plus beaux bébés. Celui-là était du 6 avril, bélier, un têtu, il s'imposerait.

Les critiques étaient bonnes et les médias montraient plus d'égards envers moi. Il était dans les meilleures ventes d'albums depuis des semaines. Il m'ouvrait les portes de nouveaux territoires [Le disque est sorti dans 47 pays].
Ce que je voulais, à présent, c'était partir en tournée, pour retrouver mon public.

FRANCE-AUSTRIA-GERMANY-SWITZER

AND_CAMBODIA_THAILAND_ENGLAND_VIETNAM

Les premiers cris d'un ange

L'album avait un concept, j'en cherchais un pour le spectacle. Je réfléchissais. Et souvent, la nuit me porte conseil. J'ai pensé au thème de Cupidon, à l'ange de l'amour.

En préparant le show, le seul reproche que je pouvais faire à « Je te dis vous », c'était qu'il y avait trop de chansons lentes. Mais au moment où j'enregistrais, je n'avais pas envie de choses rapides... On a interverti dix mille fois l'ordre des chansons. Je savais qu'il y aurait plusieurs tableaux, une ambiance cinéma, un décor de chambre d'hôtel. Chaque titre m'inspirait des idées. Par exemple, le clip d'« Il me dit que je suis belle » avait été tourné au bord de la mer, alors je gardais l'image de l'eau, des vagues. Et celle des bougies sur « Fatiguée d'attendre ». J'allais inciter un spectateur pour le slow d'« Une dernière semaine à New York », parce que la danse symboliserait le contact avec le public.

Deux ambiances se précisaient : l'une intime, l'autre rythmée. Je voulais que la première partie soit douce, et la deuxième plus énergique, pour que tout le monde puisse d'abord écouter et, ensuite, danser. Je voulais que le public, en entrant dans la salle, marche dans un univers qui le mène vers le paradis du désir, avec de la fumée, du vent dans les voiles, des bougies, des lumières qui s'allument et s'éteignent doucement. Et cet ange de l'amour qui veillerait du haut des cintres, et serait le symbole du show [et du merchandising]. Tout se jouait sur le mouvement, comme un acte d'amour. Pour moi, les relations entre un homme et une femme ressemblent aux relations entre l'artiste et son public. Il y a échange, séduction, plaisir, jouissance. C'est une histoire d'amour, où l'on donne et l'on reçoit.

Il y avait également un clin d'œil à Marilyn : « I wanna be loved by you ». Et des chansons anciennes réarrangées dans l'esprit de « Je te dis vous ». C'est plus dur de réarranger les tubes. Les gens se demandent : « Où est ma chanson ? » De toute façon, « Mon mec à moi » par exemple, je ne pouvais pas le chanter toute ma vie de la même manière.

J'avais choisi plusieurs tenues – Fayçal Amor, Azzedine Alaïa, Corinne Cobson. Mais ce n'était ni Madonna, ni Marilyn, ni Hollywood, ni Broadway. C'était mon show : sensualité, pureté, sobriété. J'avais hâte d'évoluer dans les décors. Parfois, je fermais les yeux, et je m'imaginais dans ces tableaux.

Les répétitions ont eu lieu à Plaisir, un nom prémonitoire! Pour moi, il était difficile de choisir les salles. Evidemment, je n'ai pas fait le tour de la France pour les choisir une à une : j'avais toute confiance en mon équipe.
Est-ce qu'on allait jouer salle assise, ou moitié debout ? C'était très compliqué à régler.
J'ai décidé du nombre de dates : j'avais envie de présenter mon show partout. Chaque fois que je voyais l'affiche d'un autre artiste dans une ville, je ne pouvais m'empêcher de penser : « Tiens ! je voudrais aussi jouer ici ! »

Il me fallait également reformer mon équipe, une partie de celle qui m'avait accompagnée lors de ma première tournée.
Il y avait six musiciens anglais, et deux français.
Les dates du Zénith de Paris se rapprochaient.
Cette salle m'avait laissé un bon souvenir.
La scène est grande, spacieuse, et le public proche.
Le spectacle était rôdé. On s'était tous apprivoisés, les musiciens, les lumières, les salles, et moi. Je n'avais pas peur. J'étais bien.

MON TOUR DE CHARME AUTOUR DU MONDE

TURKEY-LEBANON-HOLLAND-

Il y a eu l'Amérique du Nord, l'Allemagne, Paris, la France, l'Europe, le Canada, l'Asie, de nouveau la France, puis la Russie.
Lorsque j'ai transporté mon show aux USA, dans des salles plus petites, c'était un tout autre spectacle. Au Canada, le public vous juge sur les quinze premières minutes. Mais les choses sont quand même plus simples dans les pays francophones, puisque les spectateurs peuvent reprendre en chœur les chansons.
En Allemagne, une artiste qui parle allemand, c'est rare. Je suis fière de dire que je suis moitié allemande, moitié française.
Et que si j'ai tout fait pour réussir en Allemagne, c'est pour ma mère.
Les Japonais sont timides et sages. Ils n'osent pas bouger. Mais lorsqu'on leur demande de danser ils dansent, car ils sont disciplinés.

Par contre, au Cambodge, c'était la folie, et en Corée, carrément l'hystérie. Hanoi, c'était le délire. J'avais reçu la consigne de ne pas « la jouer trop sexy». Mais en fait, ça l'était complètement, parce qu'il faisait tellement chaud que mes robes collaient à la peau ! Le délire ! *The Times* a titré « The French Madonna rocks Hanoi ».

Un souvenir inoubliable : j'avais annoncé dans une interview à un journal russe que je chanterais un titre... en russe. Seulement voilà, en écoutant l'enregistrement, j'ai compris que celà allait être dificile. Mais trop tard pour reculer : la presse locale ne parlait que de ça ! Alors le jour du concert j'ai appris mon texte russe, et je l'ai chanté. Ça s'est très bien passé, et du coup j'en ai été vraiment transportée. Ce fut un grand moment d'émotion, avec en prime la petite touche couleur locale : en tenue de soldats russes !

Souvent, à l'étranger, les spectateurs s'imaginent que les chanteurs français chantent comme Piaf ou Brel. Alors ils sont surpris, mais pas déçus.

Pour « Une dernière semaine à New York », quand je descendais de scène, je ne voyais rien. J'avais la poursuite [le projecteur qui suit le chanteur] dans les yeux. En général, le spectateur choisi ne parlait presque pas. La première chose que je disais, c'était « Ça va ? » ou « O.K. ? » si c'était à l'étranger. Celui de Mulhouse assistait à un concert pour la première fois.

MON TOUR DE CHARME AUTOUR DU MONDE

Celui de Cholet a refusé. [Ça a été la première
et l'unique fois.]
Pendant ce slow, certains chuchotaient :
« Je t'aime », « Je suis ému », quelquefois
« Ma femme va me faire une scène » ou
simplement « Merci ».
La vie de tournée n'est pas toujours facile.
Il y a les décalages horaires, la fatigue,
des conditions de son, de lumières, de salles,
d'hôtels, souvent éprouvantes. Il peut y avoir
aussi des problèmes de voix. Là, ce sont
les moments les plus durs, parce qu'on a peur
de ne pas réussir. Ça demande beaucoup
d'énergie.

Alors bien sûr, avec tout ça, je n'ai pas eu le
temps de voir ma famille, et je ne me suis pas
toujours très bien nourrie, parfois au point
de maigrir un peu.

Mais dès que je montais sur scène, j'oubliais toutes ces difficultés. J'entrais dans la lumière et je me concentrais. Sur les trois ou quatre premiers titres, j'essayais de tester l'ambiance du public. C'est lui qui faisait le show. S'il était énergique dès le début, j'étais moi-même plus énergique. S'il restait assis, je scrutais les détails. Chaque détail est important. Quand je sentais qu'il fallait y aller, je donnais davantage d'énergie que de voix. L'équipe, au son, était géniale, elle comprenait d'un regard, et savait s'adapter en fonction du public. S'il s'annonçait jeune, ils mettaient « la dose ». Quant aux musiciens, ils étaient très cool, et jouaient tellement bien. Bref, ils étaient dedans.

Mais quand je sortais de scène, je me demandais toujours si ça leur avait plu. Je ne pouvais m'empêcher de douter et de m'interroger : « est-ce que c'était moins bien qu'hier ? » Je suis une perfectionniste, très difficile envers moi-même.

TURKEY-LEBANON-HOLLAND-

Au long de 145 concerts, le renouvellement vient des pays traversés. J'ai une chance folle d'autant voyager.
Pourtant, il m'arrivait de ne plus savoir où j'étais. J'avais souvent envie d'ouvrir les yeux et de me retrouver chez moi. Et je me réveillais dans une chambre d'hôtel, sans me rappeler de quel côté était la porte. L'ironie du sort, c'est que je rêvais petite de deux pays : le Mexique et l'Australie. J'ai parcouru le monde, je ne connais toujours pas ces deux pays. J'aime partir. Maintenant je suis habituée. Enfant, non. On n'avait pas les moyens. Voyager, c'est faire des rencontres, découvrir des pays. Cette fois-ci, j'ai pris le temps de visiter le Vietnam, le Cambodge, la Corée, la Thaïlande, la Turquie, le Liban. Voyager, c'est vivre toutes sortes d'émotions fortes, recevoir des télégrammes, des fleurs…

Pour résider incognito dans tous ces hôtels où j'habitais parfois plusieurs jours, j'ai choisi un pseudonyme : Kelly Douce. Douce, parce que cet adjectif qualifiait « Tour de charme ».

Je ne donnerai pas mon Top des villes de la tournée. Mais à Bruxelles, Strasbourg, Marseille, Lyon, Nancy, quel public super…

Il y a eu plusieurs «dernières». D'abord, vers la fin août, une dernière en Corse, car juste après, la tournée s'arrêtait un mois. Je me suis reposée dans l'île de Beauté jusqu'en septembre. Sur scène, les musiciens me faisaient des mauvais coups, c'était marrant, c'était la fête. Il y a eu aussi la dernière en Russie. Une tradition depuis ma tournée précédente qui finissait déjà là-bas. On a fait les fous au restaurant, on a dansé.

Mais la vraie dernière, ce fut à Forbach.
Quelle folie ! C'était chez moi. Ils étaient là. Ils étaient chauds. Des fans débarquaient de partout. Ils venaient pour le show, bien sûr, et aussi, d'une certaine façon, pour voir « la fille qui revenait au pays ». Ils m'ont bien exprimé leur émotion, et je crois qu'ils ont ressenti la mienne, à travers ma façon d'être, et dans ma manière de chanter. Toute ma famille et tous mes amis étaient là. A Forbach et à Sarrebruck, et seulement là, je « traque ». J'ai l'impression de connaître tout le monde, et de devoir prouver encore plus. Toute la recette du spectacle de Forbach a été versée à une association lorraine, «Noël de Joie».

« Tour de charme » s'accompagnait
d'un partenariat avec M6, R.T.L et la Lorraine.
Je défendais donc l'image de ma région
à l'étranger. La Lorraine, pour moi, ne se limite
pas à Forbach, Metz et Nancy. C'est aussi
la Sarre, Sarrebruck. La Lorraine,
c'est Stiring-Wendel, ma petite ville, la maison
à quelques mètres de la frontière. Forbach,
c'est moi enfant, majorette, petite chanteuse.
C'est l'image de mon père qui, selon les jours,
prenait son poste le matin, l'après-midi, ou la
nuit. Il toussait, il était fatigué, il avait de la suie
autour des yeux. Des fois, il rentrait quand
la famille se levait. Il travaillait dur. Mon père
ne connaît de la musique que Patricia Kaas.

Il ne me montre pas la fierté qu'il éprouve, mais lorsque je ne suis pas là il lâche des « Ah! Ma fille ! » Il a un cœur énorme.
Je pense à maman souvent. Elle avait confiance en moi. Elle m'expliquait qu'on devait se battre dans la vie, que c'était comme pour séduire un homme : il fallait essayer pour avoir la réponse.

TURKEY_LEBANON_HOLLAND_

CARNET DE VOYAGE

TURKEY-LEBANON-FINLAND-R

Cette tournée était différente
de la précédente, où l'on travaillait six jours
sur sept. Là, il y avait davantage de relâches.
Le plus dur n'était pas de monter sur scène,
c'était le reste ! D'habitude, au maquillage,
je pensais aux problèmes de son, à ce qui
s'était passé dans la journée, à ce que
pouvaient faire au même moment mes amis,
mon père, ma sœur, mes frères. Je pensais au
pays dans lequel je me trouvais, j'espérais que
le spectacle plairait.

Mon nounours m'accompagnait partout.
Quand c'était le « noir-salle »,
le régisseur le posait dans ma loge.

Au Liban l'organisateur me disait
que mes chansons
les plus connues étaient « la Liberté »,
« Jojo » et « Cabaret ».
C'était les seules qu'on ne jouait pas.
Mais c'était égal, tout s'est merveilleusement
bien passé.

Avant de chanter à Londres, que je découvrais pour la première fois, je m'étais concentrée sur les essais pour le film des amours de Marlène et Sternberg. Alors, quand le régisseur m'a demandé ma liste des chansons pour le show, j'étais ailleurs. Au maquillage, je fredonnais mes titres, mais c'étaient les dialogues du film qui me revenaient.

En Corse, on a donc fait une grande fête, avec des tas de jeux. J'avais déniché des cadeaux pour toute l'équipe. Quand on est en tournée, avec tant de gens qui vous entourent, c'est très important de donner une juste place à chacun d'eux. Les remercier par un cadeau, mais aussi et surtout par une tape sur l'épaule ou par un sourire.

A Forbach, je savais bien que c'était le dernier concert de « Tour de charme », pourtant il m'a fallu du temps pour réaliser vraiment que c'était «the End». Il y aura d'autres tournées, d'autres spectacles...

TURKEY-LEBANON-FINLAND-R

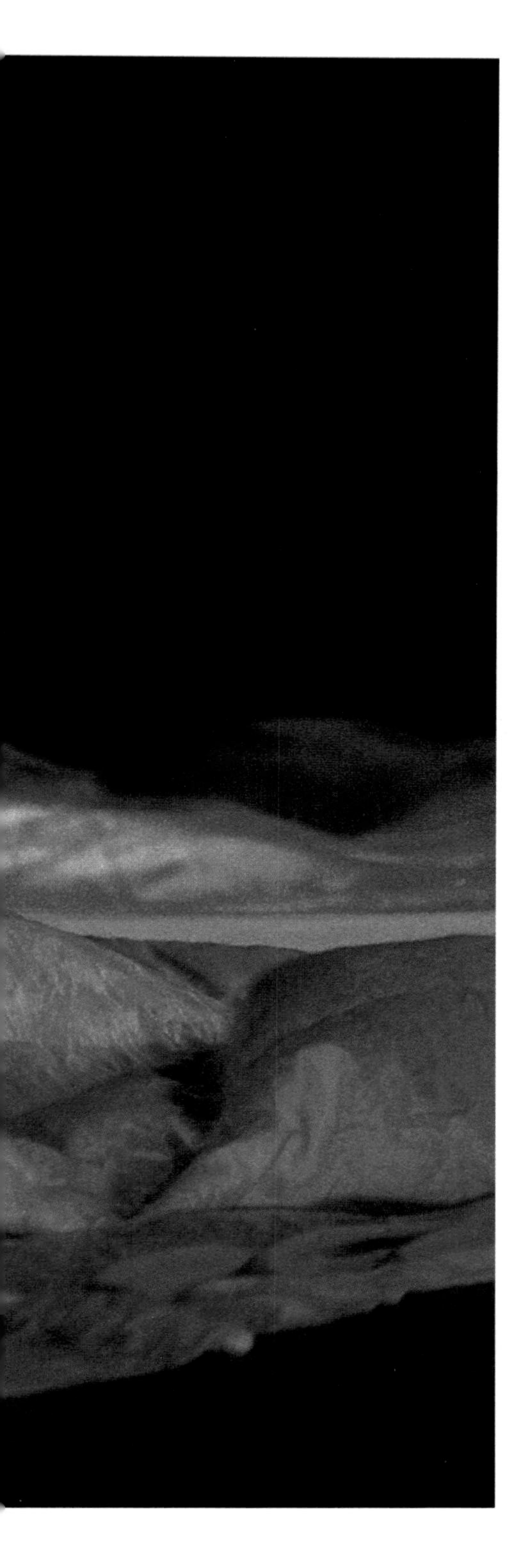

tour de charme

FILAND-AUSTRIA-FRANCE-ENGLAN

LADY MARLÈNE ET MOI

Marlène, c'est toute une histoire. Ma mère m'en parlait souvent !
La première chanson qu'elle m'ait apprise, c'était « Lili Marlène ». J'ai toujours voulu rencontrer Marlène, mais c'était très difficile, parce qu'elle ne voyait personne. J'avais presque réussi, par le biais de son avocat, mais c'était trop tard. Elle nous avait déjà quittés.

Stanley Donen, le réalisateur de « Singin'in the rain », « Charade » , « Arabesque... », préparait un film sur les amours délicates de Marlène et de Sternberg dans les années 30. On s'est vus en avril, à Montréal. Il m'a proposé de jouer Marlène. Un premier rôle, d'emblée. Je voyais déjà les critiques ! J'ai hésité. Très souvent on me compare à elle, du coup j'avais peur que ça ne fasse qu'accentuer cette ressemblance. Richard m'a convaincue : « Tu es fragile, et dure, comme Marlène. Sois toi-même. Ça suffira. »
J'ai répété avec Stanley pendant dix jours, fin juin, à la Fémis, l'école de cinéma de Paris. Le tournage commencera en avril 95, à Berlin, dix semaines de tournage. Comme c'est excitant de se lancer dans une toute nouvelle aventure ! Je jouerai Marlène, sans être sa copie !

Le cinéma, c'est un autre monde. La caméra ne me fait pas peur. Ce qui est difficile, ce sont les dialogues en anglais. Comme j'étais en tournée, en Asie, de mai à juin, je n'avais pas eu le temps de me concentrer, d'apprendre les dialogues. Et avant les dix jours prévus pour les répétitions, j'avais tant de choses à superviser, dont le « Live », enregistré à Caen.

Parfois, la nuit, je me réveillais, je prenais le scénario, j'apprenais les dialogues, puis j'éteignais, et je les récitais dans le noir. En tout cas, ces essais étaient une bonne façon de se rendre compte si je convenais, et si le cinéma me convenait.
On a d'abord travaillé le texte. Après, j'ai tourné trois scènes en deux jours. Des scènes destinées à être montrées à des producteurs, et à précipiter le financement du film. Car un film, ce n'est pas que des réalisateurs et des acteurs. Il faut surtout trouver un budget.

Pour la première scène, je chantais « Lili Marlène » en robe courte, et « la Vie en rose » en queue-de-pie, sans micro ni retour, mais j'avais déjà connu des conditions bien pires... Pour la deuxième, Marlène se présentait à une audition de Sternberg, sûre d'elle, hautaine. L'inverse de moi dans la vie… La troisième scène, Marlène surprenait son ex-maîtresse dans les bras de son mari, enlaçait la jeune femme et l'embrassait sur la bouche. Très, très difficile...
Après le premier jour, Stanley a confié à Cyril : « She's great. » J'étais heureuse, mais j'attendais que le réalisateur me l'annonce lui-même. Stanley est assez discret, même introverti. A la fin des essais, je le sentais soulagé d'avoir cru en moi comme il l'avait fait. Il a murmuré : « Je ne pensais pas qu'elle serait aussi bien. » Le deuxième soir, après le clap, j'ai soufflé ; c'était terminé. La tension retombait. Je suis allée me changer. Stanley avait préparé un petit champagne avec l'équipe. Il m'a pris les mains et m'a confié : « Tu sais, j'en suis sûr, j'ai ma Marlène. » J'en ai eu des frissons. Stanley a ajouté : « Personne n'a jamais fait si bien que toi un premier jour de tournage. Il faudrait qu'un producteur soit aveugle pour ne pas être convaincu. »
Est-ce une coïncidence ? En novembre 1993, lors de mon Zénith, Alain Delon m'avait tendu le livre des mémoires de Marlène, qu'elle lui avait offert, dédicacé. Et il me l'avait offert à son tour, en écrivant la même dédicace.

CAMBODIA-THAILAND
GLAND-CANADA

1993

20/9 WASHINGTON DC (Gaston Hall) USA
21/9 NEW YORK (Alice Tully Hall) USA
25/9 LOS ANGELES (HF Théâtre) USA
27/9 SAN FRANCISCO (Bimbo's) USA
14/10 PLAISIR (Espace Coluche) FRANCE
15/10 PLAISIR (Espace Coluche) FRANCE
16/10 LONS-LE-SAUNIER (Juraparc) FRANCE
18/10 WIEN (Konzerthaus) AUSTRIA
19/10 MÜNCHEN (Philarmonie) GERMANY
20/10 ZÜRICH (Hallenstadion) SWITZERLAND
22/10 NEUCHATEL (Patinoire) SWITZERLAND
25/10 BERLIN (ICC) GERMANY
26/10 HAMBURG (CHH) GERMANY
28/10 FRANKFURT (Alte Oper) GERMANY
30/10 DEN HAAG (Congresgebouw) HOLLAND
31/10 DÜSSELDORF (Philipshalle) GERMANY
1/11 GRONINGEN (Oosterport) HOLLAND
12/11 PARIS (Zénith) FRANCE
13/11 PARIS (Zénith) FRANCE
14/11 PARIS (Zénith) FRANCE
16/11 PARIS (Zénith) FRANCE
17/11 PARIS (Zénith) FRANCE
19/11 PARIS (Zénith) FRANCE
20/11 PARIS (Zénith) FRANCE
21/11 PARIS (Zénith) FRANCE
23/11 PARIS (Zénith) FRANCE
24/11 PARIS (Zénith) FRANCE
1/12 ANNECY (Parc Expo) FRANCE
2/12 LAUSANNE (Palais de Beaulieu) SWITZERLAND
3/12 NIMES (Les Arènes) FRANCE
4/12 VALENCE (Parc Expo) FRANCE
7/12 DIJON (Palais des Sports) FRANCE
9/12 BRUSSELS (Forest National) BELGIUM
10/12 BRUSSELS (Forest National) BELGIUM
12/12 NANCY (Zénith) FRANCE
14/12 STRASBOURG (Hall Rhenus) FRANCE
15/12 MULHOUSE (Palais des Sports) FRANCE
16/12 METZ-AMNEVILLE (Galaxie) FRANCE
17/12 BOURG-EN-BRESSE (Parc Expo) FRANCE
18/12 GRENOBLE (Summum) FRANCE

1994

20/1 LE MANS (La Rotonde) FRANCE
21/1 LIEVIN (Stade Couvert) FRANCE
22/1 CAEN (Zénith) FRANCE
23/1 LORIENT (Parc Expo) FRANCE
25/1 RENNES (Salle Omnisports) FRANCE
26/1 BREST (Penfeld) FRANCE
27/1 NANTES (Palais de Beaulieu) FRANCE
29/1 CLERMONT-FERRAND (Palais des Sports) FRANCE
30/1 CANNES (Midem) FRANCE
31/1 LIMOGES (Palais des Sports) FRANCE
2/2 BORDEAUX (Patinoire) FRANCE
3/2 TOULOUSE (Palais des Sports) FRANCE
4/2 PAU (Zénith) FRANCE
5/2 MONTPELLIER (Zénith) FRANCE
8/2 LE CANNET (La Palestre) FRANCE
9/2 TOULON (Zénith) FRANCE
11/2 MARSEILLE (Palais des Sports) FRANCE
12/2 ST-ETIENNE (Palais des Sports) FRANCE
13/2 CHALON/SAONE (Espace des Arts) FRANCE
15/2 EPINAL(Parc Expo) FRANCE
16/2 BESANÇON (Palais des Sports) FRANCE
17/2 LYON (Halle Tony Garnier) FRANCE
18/2 LYON (Halle Tony Garnier) FRANCE
3/3 BRUSSELS (Forest National) BELGIUM
4/3 BRUSSELS (Forest National) BELGIUM
6/3 ASCHAFFENBURG (Unterfrankenhalle) GERMANY
7/3 KIEL (Ostseehalle) GERMANY
9/3 KOBLENZ (Halle Oberwerth) GERMANY
10/3 MANNHEIM (Mozartsaal) GERMANY
11/3 KÖLN (Sporthalle) GERMANY
13/3 HAMBURG (CCH) GERMANY
14/3 HANNOVER (Stadionsporthalle) GERMANY
15/3 STUTTGART (Schleyerhalle) GERMANY
17/3 FRANKFURT (Alte Oper) GERMANY
18/3 WIESBADEN (Rhein-Main Halle) GERMANY
19/3 BIELEFELD (Seidenstickerhalle) GERMANY
21/3 BERLIN (ICC) GERMANY
23/3 SAARBRÜCKEN (Saarlandhalle) GERMANY
24/3 SAARBRÜCKEN (Saarlandhalle) GERMANY
26/3 MÜNCHEN (Philarmonie) GERMANY

1994

27/3 KARLSRUHE (Schwarzwaldhalle) GERMANY
28/3 NÜRNBERG (Meisersingerhalle) GERMANY
30/3 COLOMBES (Festival Chorus) FRANCE
31/3 COLOMBES (Festival Chorus) FRANCE
2/4 LILLE (Espace Foire) FRANCE
5/4 BERN (Festhalle) SWITZERLAND
7/4 CHOLET (Parc de la Meilleraie) FRANCE
8/4 CAEN (Zénith) FRANCE
9/4 REIMS (Parc des Expositions) FRANCE
12/4 POITIERS (Les Arènes) FRANCE
13/4 AGEN (Parc Expo) FRANCE
14/4 MARTIGUES (Halle de Martigues) FRANCE
16/4 BRIANçON (Patinoire) FRANCE
18/4 LUXEMBOURG (Centre Sportif Petange) LUXEMBOURG
19/4 BELFORT (Parc de Voujeaucourt) FRANCE
21/4 WIEN (Stadthalle) AUSTRIA
23/4 GRENOBLE (Summum) FRANCE
24/4 BOURGES (Printemps de Bourges) FRANCE
7/5 ULSAN (KBS Hall) KOREA
9/5 SEOUL (Salle Sejong) KOREA
10/5 SEOUL (Salle Sejong) KOREA
13/5 TOKYO (Ochard Hall) JAPAN
14/5 TOKYO (Ochard Hall) JAPAN
17/5 TOKYO (Ochard Hall) JAPAN
20/5 OSAKA (Festival Hall) JAPAN
23/5 HANOI (Centre des Expos) VIETNAM
26/5 HO CHI MIN (Theatre Hoa Binh) VIETNAM
29/5 PHNOM PENH (Stade Olympique) CAMBODIA
1/6 BANGKOK (Play House) THAILAND
23/6 LONDON (Hammersmith Apollo) U K
27/6 MONTREAL (Théâtre du Forum) CANADA
30/6 LA BAIE (Place du 350e) CANADA
2/7 QUEBEC (Théâtre Capitole) CANADA
3/7 QUEBEC (Théâtre Capitole) CANADA
4/7 OTTAWA (Centre des Congrès) CANADA
12/7 CARCASSONNE (Théâtre de la Cité) FRANCE
16/7 LA ROCHELLE (Francofolies) FRANCE
17/7 ANDERNOS (Stade J-M Despagnes) FRANCE
20/7 ALBERTVILLE (Patinoire Olympique) FRANCE
22/7 BEZIERS (Les Arènes) FRANCE
23/7 ARLES (Les Arènes) FRANCE
24/7 ST-CYPRIEN (Chapiteau) FRANCE
25/7 LYON (Théâtre de Fourvière) FRANCE
27/7 OOSTENDE (Casino d'Oostende) BELGIUM
28/7 LUXEMBOURG (Patinoire Kockelscheuer) LUXEMBOURG
29/7 SPA (Francofolies) BELGIUM
30/7 NAMUR (Théâtre de Verdure) BELGIUM
4/8 LORRACH (Markplatz) GERMANY
5/8 COLMAR (Foire aux Vins) FRANCE
7/8 QUIBERON (Chapiteau ZAC de Berg) FRANCE
9/8 MILLAU (Stade Paul Tort) FRANCE
11/8 GENEVE (Parc des Eaux-Vives) SWITZERLAND
12/8 LA SEYNE/MER (Festival) FRANCE
13/8 JUAN-LES-PINS (Pinède Gould) FRANCE
14/8 ORANGE (Théâtre Antique) FRANCE
16/8 AJACCIO (Le Cazone) FRANCE
18/8 PORTO-VECCHIO (Stade Claude Papi) FRANCE
17/9 ISTANBUL (The Bosphorus) TURKEY
20/9 BEYROUTH (Mont la Salle) LEBANON
23/9 HELSINKI (House of Culture) FINLAND
27/9 MOSCOW (Olympiski) RUSSIA
28/9 MOSCOW (Olympiski) RUSSIA
30/9 ST-PETERSBURG (SKK) RUSSIA
1/10 ST-PETERSBURG (SKK) RUSSIA
8/10 FORBACH (Chapiteau) FRANCE

600 000 SPECTATEURS...

DISCOGRAPHIE

au 24/10/94

ALBUMS

✔ NOVEMBRE 1988 "MADEMOISELLE CHANTE..."
✔AVRIL 1990 "SCENE DE VIE"
✔NOVEMBRE 1991 "CARNETS DE SCENE" (live double album)
✔AVRIL 1993 "JE TE DIS VOUS" (Europe)
✔AOUT 1993 "TOUR DE CHARME" (Je te dis vous /USA et UK)
✔FEVRIER 1994 "TOUR DE CHARME" (Je te dis vous/UK)
✔OCTOBRE 1994 "TOUR DE CHARME" (live album)
✔NOVEMBRE 1994 "TOUR DE CHARME" (live album)

SINGLES

✔1985 "JALOUSE"
✔AVRIL 1987 "MADEMOISELLE CHANTE LE BLUES"
✔AVRIL 1988 "D'ALLEMAGNE"
✔OCTOBRE 1988 "MON MEC à MOI"
✔AVRIL 1989 "ELLE VOULAIT JOUER CABARET"
✔SEPTEMBRE 1989 "QUAND JIMMY DIT"
✔AVRIL 1990 "LES HOMMES QUI PASSENT"
✔AOUT 1990 "LES MANNEQUINS D'OSIER"
✔DECEMBRE 1990 "KENNEDY ROSE"
✔MAI 1991 "REGARDE LES RICHES"
✔OCTOBRE 1991 "UNE DERNIERE SEMAINE à NEW YORK"
✔MARS 1993 "ENTRER DANS LA LUMIERE"
✔JUIN 1993 "IL ME DIT QUE JE SUIS BELLE"
✔NOVEMBRE 1993 "CEUX QUI N'ONT RIEN"
✔AVRIL 1994 "FATIGUEE D'ATTENDRE"
✔JUILLET 1994 "RESTE SUR MOI" (US REMIX)
✔NOVEMBRE 1994 "MADEMOISELLE CHANTE LE BLUES" (live)

VIDEOGRAPHIE

•MADEMOISELLE CHANTE LE BLUES
Réalisation : JEAN-SEBASTIEN DELIGNY
Production déléguée : M6
Production : POLYDOR/M6
Tournage : PARIS/NOVEMBRE 1987

•MON MEC à MOI
Réalisation : ERICK IFERGAN
Production déléguée : PROGRAM 33
Production : POLYDOR/M6/BSO
Tournage : PARIS/OCTOBRE 1988

•ELLE VOULAIT JOUER CABARET
Réalisation : SIMON KENTISH
Production déléguée : PREMIERE HEURE
Production : POLYDOR
Tournage : FECAMP/AVRIL 1989

•QUAND JIMMY DIT
Réalisation : SIMON KENTISH
Production déléguée : PREMIERE HEURE
Production : POLYDOR
Tournage : METZ/AOUT 1989

•LES HOMMES QUI PASSENT
Réalisation : DOMINIQUE ISSERMAN
Production déléguée : UNE DE PLUS
Production : CBS/NOTE DE BLUES
Tournage : PARIS/AVRIL 1990

•LES MANNEQUINS D'OSIER
Réalisation : RENAUD LE VAN KIM
Production déléguée : LONG COURRIER
Production : CBS/NOTE DE BLUES
Tournage : PARIS-ZENITH/MAI 1990

•KENNEDY ROSE
Réalisation : DOUG NICHOLS
Production déléguée : MIDI-MINUIT
Production : COLUMBIA/NOTE DE BLUES
Tournage : NEW ORLEANS (USA)/JANVIER 1991

•REGARDE LES RICHES
Réalisation : JEAN ACHACHE
Production déléguée : MIDI-MINUIT
Production : COLUMBIA/NOTE DE BLUES
Tournage : PARIS/AVRIL 1991

•UNE DERNIERE SEMAINE à NEW YORK
Réalisation : RENAUD LE VAN KIM
Production déléguée : LE SABRE
Production : COLUMBIA/NOTE DE BLUES
Tournage : PARIS-ZENITH/OCTOBRE 1991

•ENTRER DANS LA LUMIERE
Réalisation : PHILIPPE ANDRE
Production déléguée : PROGRAM 33
Production : COLUMBIA/NOTE DE BLUES
Tournage : PARIS/MARS 1993

•IL ME DIT QUE JE SUIS BELLE
Réalisation : DOUG NICHOLS
Production déléguée : MIDI MINUIT
Production : COLUMBIA/NOTE DE BLUES
Tournage : MIAMI/JUIN 1993

•CEUX QUI N'ONT RIEN
Réalisation : PHILIPPE GAUTIER
Production déléguée : PROGRAM 33
Production : COLUMBIA/NOTE DE BLUES
Tournage : PARIS/NOVEMBRE 1993

•FATIGUEE D'ATTENDRE
Réalisation : GERARD PULLICINO
Production déléguée : CAMERAS CONTINENTALES
Production : COLUMBIA/NOTE DE BLUES
Tournage : CAEN/AVRIL 1994

•MADEMOISELLE CHANTE LE BLUES (live)
Réalisation : GERARD PULLICINO
Production déléguée : AIR PRODUCTIONS
Production : COLUMBIA/NOTE DE BLUES
Tournage : CAEN/AVRIL 1994

TRACKLISTING

1) Y'AVAIT TANT D'ETOILES
(J.KOPF / M.AMSELLEM)

2) HOTEL NORMANDY
(D.BARBELIVIEN / F.BERNHEIM)

3) JE RETIENS MON SOUFFLE
(M.LAVOINE - P.GRILLET/F.ABOULKER)

4) CEUX QUI N'ONT RIEN
(D.BARBELIVIEN - F.BERNHEIM / D.BARBELIVIEN)

5) IL ME DIT QUE JE SUIS BELLE
(S.BREWSKI)

6) SPACE IN MY HEART
(D.AUSTIN / M.HELLIOT)

7) LA LIBERTE
(M.LAVOINE / F.ABOULKER)

8) FATIGUEE D'ATTENDRE
(J.KOPF / M.AMSELLEM)

9) JOJO
(D.BARBELIVIEN / F.BERNHEIM)

10) JE TE DIS VOUS
(J.KOPF / M.AMSELLEM)

11) RESTE SUR MOI
(M.LAVOINE - P.GRILLET / F.ABOULKER)

12) GANZ UND GAR
(M.M WESTERNHAGEN)

13) OUT OF THE RAIN
(T.J. WHITE)

14) IT'S A MAN'S WORLD
(J.BROWN / B.NEWSOME)

15) ENTRER DANS LA LUMIERE
(D.BARBELIVIEN / F.BERNHEIM)

Pressage FNAC - A SAINT LUNAIRE
(P.GROSZ / P.SALTO / S.LOLLIOZ)
Enregistré à EEL PIE STUDIOS / TWICKENHAM/ ANGLETERRE et CBE / PARIS.

Pressage JAPON - JUSTE UNE CHANSSON
(J.KOPF)

S E T - L I S T

1 ENTRER DANS LA LUMIERE

2 SPACE IN MY HEART
(pk talk to the audience)

3 D'ALLEMAGNE

4 JE RETIENS MON SOUFFLE

5 JE TE DIS VOUS

6 HOTEL NORMANDY
(pk change and talk to the audience)

7 OUT OF THE RAIN

8 UNE SEMAINE A NEW YORK

9 LES HOMMES QUI PASSENT
(pk change)

10 MON MEC A MOI

11 KENEDY ROSE

12 QUAND JIMMY DIT

13 REGARDE LES RICHES

14 MADEMOISELLE CHANTE LE BLUES
(pk presents musicians and change)

15 IL ME DIT QUE JE SUIS BELLE

16 1st ENCORE
Y'AVAIT TANT D'ETOILES

17 FATIGUEE D'ATTENDRE

18 2nd ENCORE
I WANAN BE LOVE BY YOU

19 RESTE SUR MOI

20 CEUX QUI N'ONT RIEN

21 3rd ENCORE
ENTRER DANS LA LUMIERE

P L A N D E S C E N E

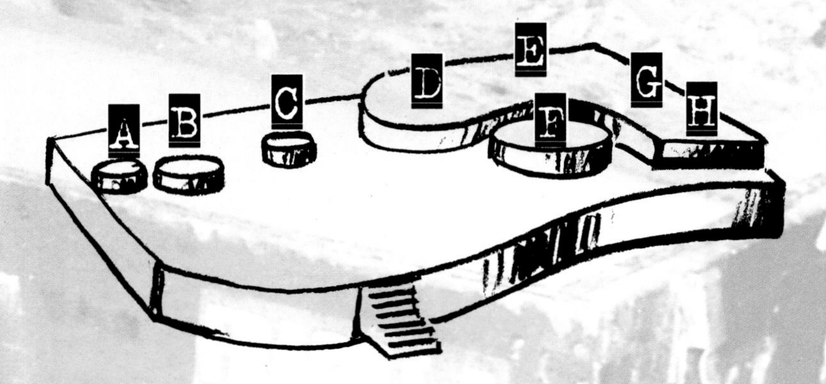

A	CHŒUR :	MARIA MORGAN POPKIEWICZ
B	GUITARE :	PAUL DUNNE
C	SAXO :	MARTIN GREEN
D	BATTERIE :	GUY RICHMAN
E	PERCU :	KARLOS EDWARDS
F	BASSISTE :	GREG HAREWOOD
G	CLAVIER 1 :	TOBY CHAPMAN
H	CLAVIER 2 :	FREDERIC HELBERT

LES FLÈCHES DE L'AMOUR

D'habitude, on oublie toujours
de citer quelqu'un, alors je préfère dire merci
à tous ceux qui ont contribué à mon spectacle,
et à tous ceux qui ont fait partie du grand
voyage, particulièrement à ceux
qui ne trouveront pas leur nom dans ce récit,
mais auxquels je pense très fort.
Enfin, je ne voudrais pas clore ce récit
sans vous confier un secret : « Je te dis vous »
et « Tour de Charme » auront été pour moi
l'occasion de rencontrer LE GRAND AMOUR.

Pour Henri de Bodinat: "tu avais raison..."

PATRICIA

Merci à Cyril Prieur et Richard Walter, Frédéric Rosenthal, Emmanuel Gaugain (Talent Sorcier), Columbia, Manu, Programme 33, Music Machine (Sylvie, Franck, Bruno, Martine), Thierry Chassary, Marie-Laurence Gourou, Louis Vincent, Valérie Escanez, Brigitte Pierrat, Georges Bermann, D. Nichols, Chloé G...

Laboratoires : Toroslab - Chromogène - So/Elastic System
DRY photogravure

Mimi Acquaviva
Sandra M.

Conseillers extraordinaires :
Richard Schrœder et Nathalie Vendeuge.

Graphiste :
Pascal Vandeputte

Achevé d'imprimer par HÉRISSEY
pour le compte de RÉGIE PRODUCTIONS
BP 202
72005 Le Mans
ISBN : 2-840980-52-5/50-1352-9